Tierra del F...
alvinas - Ant...

Islas Malvinas (Arg.)
ENTINA (Arg.)
rande de
del Fuego
I. de los Estados

OCÉANO
Is. Georgias del Sur (Arg.)

MAR DEL
ATLÁNTICO
SCOTIA

Islas Sandwich del Sur (Arg.)

asaje de Drake

Islas
Shetland
del Sur
Base Cámara
Base Decepción
Base Primavera
ase Melchior
Base Brown
Biscoe
rano
San Martín
Bahía
aigarita
hild
t
ejandro I
AUSEN

Islas Orcadas del Sur
Base Jubany
Base Orcadas
Base Esperanza
Base Petrel
Base Marambio
Base Matienzo

ANTÁRTIDA
Círculo Polar Antártico
ARGENTINA
Pla. Jason
Barrera de hielos Larsen
I. Hearst
MAR DE
WEDDELL

TIERRA DE SAN MARTÍN DE LA FLOTA
Península Antártica

Pla. Kemp
Pla. Bowman
C. Norvegia

DE ELLSWORTH

Campo de hielos Ronne
Base Belgrano III
Base Belgrano II
I. Portillo   I. Berkner
I. Quijada
Campo de hielos Filchner
Base Sobral

MONTES ELLSWORTH

SETA
LLICK
NYON

MA BYRD
A
LLER

COSTA DE LA PRINCESA MARTA
TIERRA DE LA REINA MAUD

Meridiano de Greenwich

MESETA POLAR
Polo Sur

Escala en Km
0   600

3132 km   Puerto Madryn

1827 km

El Calafate
Río Gallegos
Punta Arenas
897 km
590 km
Río Grande
623 km
222 km
Ushuaia

61°   59°
51°   51°
MAR ARGENTINO

GRAN MALVINA
Estr. de San Carlos
I. SOLEDAD
Puerto Argentino

52°   52°

Escala en Km
0   25   50
OCEANO ATLANTICO SUR
61°   59°

Editores / *Publishers*
León Goldstein
Sonia Passio

Fotografía / *Photography*
Stefano Nicolini

Textos / *Texts*
Gonzalo Monterroso

Colaborador geográfico / *Geographical consultant*
Nicolás Kugler

Traducción / *Translation*
Graciela Smith

Maquetación / *Layout*
Asterisco

Diseño / *Design*
Javier Cedrés
Jaime Moragues

Corrección de textos / *Proofreading*
Alejandra Colaneri

La presente publicación se ajusta a la cartografía establecida por el PEN, a través del IGM
por Ley 22.963 y fue aprobada por expediente N° CG0 2281/5 de setiembre de 2000.

Fotografía / *Photography*
Stefano Nicolini

Textos / *Texts*
Gonzalo Monterroso

Colaborador geográfico / *Geographical consultant*
Nicolás Kugler

Tierra del Fuego
Malvinas - Antártida

Cordillera de los Andes. / *Cordillera de los Andes.*

Tierra del Fuego. El paisaje montañoso que rodea Ushuaia supera los 1.400 metros de altura. /
Tierra del Fuego. The mountainous landscape surrounding Ushuaia exceeds an elevation of 4,590 feet.   5

Tierra del Fuego. Una turbera a pocos kilómetros de Ushuaia. /
Tierra del Fuego. A peat bog just a few miles from Ushuaia.

Tierra del Fuego. La majestuosidad del paisaje desde la ruta entre Ushuaia y la estancia Harberton. /
Tierra del Fuego. The majestic landscape between Ushuaia y la estancia Harberton.

Tierra del Fuego. Ushuaia: la ciudad más austral del país, ubicada entre el cerro Martial y el canal Beagle. / *Tierra del Fuego. Ushuaia: The southernmost Argentine city, located between Martial Hill and the Beagle Channel.*

Ushuaia, capital de Tierra del Fuego. /
10 *Ushuaia, the capital of Tierra del Fuego.*

Puerto Williams en la isla Navarino (Chile). El crucero World Discoverer listo para zarpar con turistas. /
Port Williams on Navarino Island (Chile). The World Discoverer *cruiser ready to set out loaded with tourists.* 11

Tierra del Fuego. La estancia Harberton, fundada en 1886 por el reverendo inglés Thomas Bridges. /
Tierra del Fuego. Harberton estancia, founded in 1886 by English Rev. Thomas Bridges.

Tierra del Fuego. Estancia Harberton. Esqueletos de cetáceos recolectados en las orillas del canal Beagle. /
Tierra del Fuego. Harberton estancia. Cetacean skeletons collected by the shores of the Beagle Channel. 13

La costa del canal Beagle, entre las estancias Harberton y Moat. /
The coastline of the Beagle Channel between the Harberton and Moat estancias.

14

Tierra del Fuego. Atardecer en la playa de la estancia Moat. /
Tierra del Fuego. Sunset at Moat seaside estancia. 15

Tierra del Fuego. El paisaje costero salvaje y rocoso, en los alrededores de la estancia Harberton. /
Tierra del Fuego. The wild and rocky coastline scenery, in the vicinity of Harberton estancia.

Bahía Lapataia, en el Parque Nacional de Tierra del Fuego./
Lapataia Bay, at Tierra del Fuego National Park.

Faro cercano a la estancia Moat, frente al canal Beagle. Al fondo, la isla Navarino. /
Lighthouse near Moat estancia, across from the Beagle Channel. In the background, Navarino Island.

Parque Nacional de Tierra del Fuego. Valle del Toro. /
Tierra del Fuego National Park. Valle del Toro (Valley of the Bull).   19

Parque Nacional de Tierra del Fuego. Preserva costas marinas, ríos, lagos, montañas, valles profundos, turberas y
bosques. / *Tierra del Fuego National Park. It preserves the seashores, rivers, lakes, deep valleys, peat bogs and fores*

Árboles del bosque fueguino afectados por los castores. /
Trees in the Fueguian forest affected by beaver activity. 21

Tierra del Fuego. Cueva de castores. / *Tierra del Fuego. A beaver's nest.*

Cauquenes, gansos muy abundantes en Tierra del Fuego. /
Cauquenes, a type of goose very abundant on Tierra del Fuego.

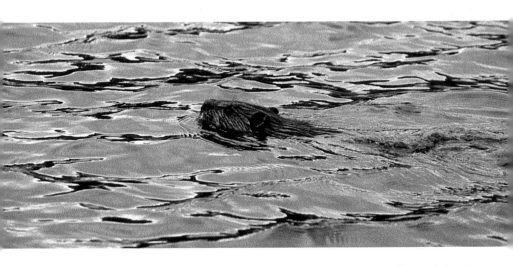

Castores fueguinos que fueron importados de Canadá para criadero. /
Fuegian beavers imported from Canada for breeding purposes. 23

Árbol fueguino doblegado por el viento ("árbol bandera"). / *Fuegian tree bent by the wind ("flag tree").*

El Canal Beagle en Bahía Ensenada. /
The Beagle Channel at Ensenada Bay.

Isla Soledad. Puerto Luis. Pintoresco casco de la estancia Farm en la
ruta entre Puerto Argentino y Seal Bay. /
*East Falkland. Port Louis. Picturesque main building of the estancia
Farm on the road between Port Stanley and Seal Bay.*

Islas Malvinas. Playa en la Isla Soledad. / *Falkland Islands. A beach on East Falkland.*

Isla de Borbón, al norte de la Gran Malvina. / *Pebble Island, in the north of West Falkland.*

Islas Malvinas. Isla Soledad. Antiguo corral construido por gauchos argentinos en la Isla Soledad. / *Old corrarl built by Argentine gauchos, on East Falkland.*

Isla Soledad. Puerto Argentino. Niños jugando en la calle principal (Ross Road). /
East Falkland. Puerto Argentino. Children playing on the main street (Ross Road). 31

Islas Malvinas. El hotel Malvina House es uno de los más acogedores del archipiélago. /
Falkland Islands. Malvina House Hotel, one of the most comfortable on the archipelago.

Monumento a los caídos en
la guerra de 1982. /
Monument commemorating
the casualties of the 1982
war.

Los pingüinos de pico rojo son una de las numerosas especies de aves que viven en el archipiélago. /
The red-beaked penguins are among the numerous bird species living on the archipelago.

Isla Soledad. Colonia de pingüinos reales en Volunteer Point. /
East Island. Volunteer Point: King penguin colony.   35

Islas Malvinas. Colonia de cormoranes reales, en la Isla de Borbón. /
Falkland Islands. King cormorants colony, on Pebble Island.

Isla de Borbón. Hembra (izquierda) y machos de cauquenes. / *Pebble Island*. Cauquen *female (left) and males.*

Islas de los Leones Marinos. Macho adulto de elefante marino del sur, fácilmente reconocible por su trompa. /
Sea lion islands. Adult southern elephant seal male, easily recognizable because of its trunk.

Islas de los Leones Marinos, al sur de la isla Soledad. Harén de lobos marinos con un macho y sus hembras.
Sea lion harem: a male and his cows. 39

Islas Malvinas. Ovejas en una estancia al norte de la isla Soledad. /
Falkland Islands. Sheep at an estancia in the north of East Island.

Pasaje de Neptune´s Bellow en el cráter semisumergido. /
Neptune's Bellow Strait in the submerged crater.

Témpano desprendido de las costas antárticas. / *Iceberg broken off the Antarctic coasts.*

El canal Neumayen regala uno de los paisajes más bonitos de la Península Antártica. /
Neumayen Channel offers one of the most beautiful landscapes of the Antarctic Peninsula.

El crucero turístico Kaptain Khlebnikov penetra el canal Lemaire entre isla Booth y la Península Antártica. /
Tourist cruiser Kaptain Khlebnikov enters the Lemaire Channel between Booth Island and the Antarctic Peninsula. 45

Antártida. El rompehielos navega en el pack del Mar de Weddell hacia cabo Norvegia. /
Antarctica. Tourist icebreaker Kaptain Khlebnikov navigates the Weddell Sea Pack towards Cape Norvegia.

Antártida. La base argentina Esperanza en la costa norte de la península Trinity. / *Antarctica. The Argentine Esperanza (Hope) base on the north coast of the Trinity Peninsula.*

Isla Cuverville. Foca cangrejera, la más abundante en los mares antárticos. /
48   *Cuverville Island. Crab-eating seal, the most abundant in the Antarctic seas.*

Isla Pingüino en las Shetland del Sur. 350 especies de líquenes y 100 de musgos crecen en la Antártida. /
Penguin Island South Shetland Islands. 350 species of lichens and 100 species of mosses grow on Antarctica.

Antártida. Mar de Weddell. El estupendo paisaje de hielo de Atka Bay, donde vive una colonia de 8.000 parejas de pingüinos emperadores. / *Antarctica. Weddell Sea. Beautiful ice landscape at Atka Bay, the home of a colony of 8,000 couples of emperor penguins.*

Mar de Weddell. Atka Bay. Adulto y cachorro de pingüinos emperadores. /
Weddell Sea. Atka Bay. Adult and young emperor penguin.

Más de 100.000 pingüinos Adelia nidifican en la Isla Paulet, al noroeste de la Península Antártica. / Over 100.000 Adelia penguins make their nest on Paulet Island, in the northwest of the Antartic Peninsula.

Isla Pingüino en las Shetland del Sur. Hembra de lobo marino de dos pelos. /
Penguin Island South Shetland Islands. Southern fur seal cow.

Antártida. La foca Weddell puede alcanzar los 3 metros de largo y un peso de 400 kilos. /
Antarctica. The Weddell seal can reach a length of almost 10 feet and a weight of about 880 pounds. 55

Stefano Nicolini, el fotógrafo. /
Stefano Nicolini, the photographer.

Antártida. Isla Paulet, unos cinco millones de pingüinos Adelia habitan a lo largo de las costas, agrupados en 180 colonias. / *Antarctica. Paulet Island Nearly five million Adelia penguins live along the coast, grouped in 180 colonies.*

TIERRA DEL FUEGO

Investigación y textos: Gonzalo Monterroso
Colaboración: Nicolás Kugler

El nombre de Tierra del Fuego sugiere la idea de un lugar lejano. Allí concluye el mundo patagónico y comienza el largo derrotero antártico. Mucho antes de que el Sur formara parte de la geografía canónica, los sabios del Renacimiento llenaron con su imaginación los vacíos del mapa, poblándolo de gigantes, sirenas y pavorosos grifos. Cuando los portugueses globalizaron el mundo, en el siglo XVI, cayeron las barreras geográficas y nació la Tierra del Fuego real, aunque imperfecta, soldada a un continente todavía imaginario: la *Terra Australis Incognita*. Martín Behaim, cosmógrafo de la escuela portuguesa, dibujó un tajo en el mapa y creó el estrecho del fin del mundo. Lo hizo llevado por la lógica aristotélica: *Los continentes son islas desmesuradas a las que hay que encontrar los estrechos que las separan y confirmar las aguas que las rodean.* Creer en aquel postulado fue mérito de Magallanes, verdadero promotor de primicias geográficas. Su proeza fue recompensada con el nombre del famoso paso interoceánico. Se le adjudica al gran navegante el bautismo de Tierra del Fuego; pero del relato de Antonio Pigafetta –diligente cronista de aquella expedición– se desprende que Magallanes sólo vio humo y no fuego. Es cierto que los isleños prendían fogatas para entibiarse; también para anunciar novedades. Lo que más asombró a Charles Darwin fue que las fogatas ardieran en el fondo de sus canoas. Con el tiempo, la llegada de barcos desconocidos debió multiplicar esta señal en presencia de los viajeros, que supusieron que allí brillaba el fuego perpetuo. Así fue como la isla del viento recibió su bautismo de fuego.

Los indígenas fueguinos fueron los primeros en cruzar el Estrecho de Magallanes, hace unos diez mil años. Cuando llegaron los primeros europeos, convivían en Tierra del Fuego alrededor de once mil aborígenes. Formaban cuatro grupos, con territorio, idioma y cultura propios: selknam (ona) y haush cazaban a pie; yámana (yaghan) y alacaluf cazaban en canoas hechas de corteza de árbol. Pedestres o canoeros, eran nómadas infatigables que viajaban con lo puesto. Podían enriquecer sus idiomas mutuamente, tanto como disputarse las mujeres y las tierras de caza de guanacos. En 1768, el célebre capitán James Cook visitó la isla y conoció hombres de contextura desmañada y mujeres bien acicaladas. Parecían no desear otras cosas sino aquellas que poseían, lo que llevó a Cook a preguntarse si el bienestar guarda relación con el consumo.

Descubierto el Estrecho de Magallanes, nadie garantizaba que la Tierra del Fuego fuese una isla. Uno de los primeros en pronosticar la insularidad fueguina fue el padre Joseph de Acosta (1540-1600), cronista jesuita obsesionado por los estrechos aristotélicos: *Lo que es tierra firme se acaba allí, y el resto es todo islas, y al cabo de ellas se junta un mar con el otro.* Acababa de nacer el Cabo de Hornos, al menos en la fe geográfica, porque las cuatro vueltas al mundo que siguieron a la de Magallanes (Drake, Cavendish, De Noort y Spilberg) tuvieron que valerse del Estrecho. Recién en 1616, los holandeses descubren y bautizan el cabo más peligroso del mundo con el nombre del puerto en donde armaban sus navíos: Hoorn, el *Horn* de las cartas inglesas, que nuestros mapas tradujeron erróneamente *Hornos*. Pese a que, en 1619, los hermanos Bartolomé y Gonzalo Nodal circunnavegaron el archipiélago, éste nunca perdió su categoría de "tierra".

La isla Grande de Tierra del Fuego y su laberíntica familia de islas e islotes tienen una superficie algo superior a 70.000 km², similar a la de Irlanda. Chile posee la mayor parte de la isla –unos 50.000 km² repartidos entre vastas estancias– y controla el Estrecho de Magallanes. Del lado argentino se formó un triángulo perfecto, con dos capitales marítimas y un cateto terrestre que sólo puede interesar a los coleccionistas de fronteras notables: en el mundo sólo hay media docena de islas oceánicas divididas por un límite internacional. Fue trazado y luego desplazado sin acatamiento a la línea de altas cumbres ni a la divisoria de aguas, principios rectores de la discusión fronteriza patagónica. Más aún, esta verdadera Línea de Tordesillas fueguina ignora la Cordillera de los Andes, atravesándola de lado a lado para consagrar el santo y seña diplomático: Chile en el Pacífico, Argentina en el Atlántico. Ushuaia es, por lo tanto, la única ciudad trasandina argentina. Dos veces por semana, un ómnibus interoceánico cruza la frontera llevando pasajeros entre Río Grande y la pequeña ciudad de Porvenir, desde donde parte un vapor hacia **Punta Arenas**, la capital magallánica. Los automóviles llegan al sector argentino desde el norte. Los aviones aterrizan en el sur. Del oeste arriban las nubes, el viento y los cambios de tiempo. El este desafía a los barcos a circunnavegar libremente el planeta y retornar a la isla sin tocar tierra alguna. Tal vez por eso, dentro de la heráldica provincial argentina, la fueguina es la única que considera al mar como tema dominante.

La **Ruta 3** es el hilo conductor que permite reconocer todos los paisajes fueguinos. Al norte del Lago Fagnano, el bosque cordillerano cede poco a poco su lugar a la estepa ondulada que preanuncia la desolación patagónica. A partir de **Río Grande**, un abanico de caminos enripiados se disparan hacia las estancias, puntos en el mapa, que en el descampado austral adquieren el valor de pequeños pueblos. La **bahía San Sebastián** es un refugio estival de aves migratorias. Al norte, en un paraje de sugestivo nombre –El Páramo–, el judío rumano Julius Popper (1857-1893) se convirtió en el más notorio de los buscadores de oro patagónicos. Con impunidad y valiéndose de sus vínculos porteños y de su propio ingenio, este inescrupuloso ingeniero hizo de aquel paraje su feudo, con tecnología, moneda y ejército propios. Entre 1880 y 1909, Tierra del Fuego se convirtió en tierra del oro, encendiendo las disputas entre codiciosos buscadores, indígenas en regresión y emprendedores estancieros que importaban las primeras ovejas desde Punta Arenas y Malvinas. A partir de 1890 se formaron las grandes estancias ganaderas: Primera Argentina –hoy José Menéndez– y Segunda Argentina, actualmente **María Behety**, que posee el galpón de esquila más grande del mundo, capaz de dar cabida a más de 5.000 ovinos. En verano, la esquila y los grandes arreos de ovejas con perros llaman la atención del visitante. De noviembre a marzo, el *fish-week* es de rigor entre los pescadores norteamericanos, que arriban a las estancias atraídos por la captura de truchas. Los salmónidos exóticos, introducidos para desarrollar la pesca deportiva, terminaron ahuyentando a puyenes y peladillas, las especies nativas de ríos y lagunas. Al sur de Río Grande hay un desvío inconveniente para viajeros apresurados. Conduce al **cabo San Pablo**, donde se halla un antiguo faro, la hostería más austral del Mar Argentino y el casco herrumbrado del *Desdémona*, encallado en la desolada playa. La pequeña comuna de **Tolhuin**, a mitad de camino entre Río Grande y Ushuaia, ofrece granjas y bosques. Allí se alcanza el extremo del **lago Fagnano**, el antiguo Khami de los nativos. Fue rebautizado en memoria del sacerdote salesiano Juan Fagnano, fundador de la **Misión de La Candelaria** (1893), considerada como el antecedente fundacional de Río Grande.

El esqueleto montañoso de la isla presenta una suma de plegamientos, fracturas, derrames de lava, inundaciones marinas, hielos y el persistente desgaste del tiempo. Parte de esta historia geológica puede apreciarse en las distintas formaciones situadas a lo largo del camino que conduce de Ushuaia a Río Grande. En tiempos geológicos recientes, un casquete helado cubría la región austral. Una vez retirados los hielos, el agua dulce colmó las hondonadas formando lagos y lagunas, como el extenso lago Fagnano. Otros valles glaciarios están ocupados por las características turberas: pantanos que se forman cuando las bajas temperaturas y la acidez de las aguas impiden que los restos vegetales se descompongan totalmente. Acumulados durante miles de años, estos detritus forman una profunda capa de turba sobre la cual crecen juncos, líquenes y musgos que en otoño adquieren extraña coloración dorada y anaranjada. El **canal Beagle** fue un gigantesco glaciar que las aguas del mar transformaron en un verdadero estrecho interoceánico. Mide 300 km de largo, superando cuatro veces al Canal de Panamá y una vez y media al Canal de Suez. A salvo de los borrascosos mares subantárticos, las excursiones que parten del puerto de Ushuaia invitan a navegarlo avistando islotes y rocas semisumergidas donde se refugia la fauna marina. Delfines y lobos de un pelo son fáciles de ver. Entre Punta Arenas y Ushuaia, los navíos de lujo se internan en los desolados canales fueguinos, un laberinto de ensenadas, fiordos y penínsulas talladas entre empinadas cordilleras cubiertas de bosques y glaciares que descienden hasta la orilla del mar.

Los isleños disfrutan de largas jornadas estivales. No hay nieve entre octubre y mayo, los meses más cálidos. Crepúsculos prolongados acortan el tiempo de oscuridad a un breve lapso que transcurre entre las once de la noche y las dos de la madrugada. Por el contrario, el invierno es el reinado de las sombras largas y los días cortos. Las jornadas soleadas y apacibles son comunes en invierno. Como si se tratara de un antiguo rito pagano, ellos celebran el solsticio de junio con una caminata de antorchas: la Fiesta Nacional de la Noche Más Larga del Mundo, que anuncia el lanzamiento de la esperada temporada turística invernal. El tiempo en Ushuaia es muy cambiante e inestable, al punto que pueden experimentarse las cuatro estaciones en un mismo día. Sólo los lugareños son capaces de pronosticar a largo plazo. El arco iris reina aquí con una frecuencia que no se da en ninguna otra parte del país, y bien merecería tener su Fiesta Nacional. Cuando una gruesa capa de nieve cubre los valles y terrenos poco ondulados, locales y visitantes practican el esquí de fondo, antigua modalidad nórdica que consiste en efectuar largas travesías por lugares despoblados. Antiguamente, cuando no existía la Ruta 3, una especie de esquí de fondo postal fue utilizado para llevar correspondencia entre Ushuaia y Río Grande.

Casi un tercio de la Tierra del Fuego argentina se halla cubierto por el bosque nativo, formado en su mayoría por el género de los *Nothofagus*. El llamado monte alto está conformado por las lengas.

Sus hojas, igual que las del ñire (monte bajo) se tiñen de amarillo y rojo en los comienzos de la temporada fría. Junto con el siempreverde guindo, las tres especies de *Nothofagus* son atacadas por hongos y parásitos, entre los cuales sobresale por su tamaño el llamado llao-llao, que provoca la formación de extraños nudos en la corteza. Diminutas flores de variados colores alfombran el terreno. Los líquenes que cuelgan de los árboles ("barba del monte") agregan belleza, aunque pueden dificultar la caminata. Es notable la proliferación de arbustos y frutas silvestres, como el michay –cuyas flores anaranjadas brotan a fines del invierno–, el notro –de llamativa floración roja– y el calafate, cuyas bayas azuladas se recomienda degustar. En los sitios más umbrosos y húmedos crecen helechos y flores. El paisaje boscoso constituye uno de los encantos más genuinos de la isla y puede descubrirse en el poco explorado **Parque Nacional Tierra del Fuego**, verdadero muestrario del ambiente natural fueguino. La explotación indebida, los incendios y la proliferación de animales exóticos –como el castor, incansable talador de árboles y constructor de embalses que inundan el bosque– han reducido o perjudicado esta selva austral, formada por ejemplares longevos de crecimiento lento.

Tierra del Fuego es rica en diversidad de aves y especies marinas. Albatros y petreles revolotean sobre los barcos de paseo. El albatros con las alas desplegadas enmarca el escudo de Tierra del Fuego y no es plato regional, aún cuando Cook y Banks los hayan desplumado y saboreado, encontrándolos muy apetitosos. En cuanto a la fauna comestible, los indígenas recolectaban mariscos en la costa o comían carne de ballena, lo que confirmaba aún más su condición de salvajes ante los europeos. Los turistas son tentados a degustar cordero al palo y centolla, enorme cangrejo que eleva la cuenta del menú de cualquier restaurante que se precie de típico.

En 1828, el joven capitán Robert Fitz Roy visitó Tierra del Fuego con el *Beagle*, el famoso bergantín del Almirantazgo británico. Regresó a Londres con cuatro becarios fueguinos que merecían –a su juicio– una educación inglesa. Darwin, que consideraba a estos indígenas "la raza más baja de la especie humana", los acompañó de regreso a su patria austral, en 1831. De aquella misión nació la idea de predicar el Evangelio a los fueguinos. En 1869 se instaló el primer misionero en la bahía de **Ushuaia**. El joven pastor anglicano Thomas Bridges impulsó aquella modesta misión, apenas una casa de madera y chapa. En 1884 arribaron cuatro barcos de la Armada Argentina, plantaron la bandera nacional en la bahía y dieron por inaugurada la colonización.

Los argentinos importaron el idioma castellano (Bridges hablaba el yámana y sus indios aprendían el inglés) y casillas prefabricadas. En poco tiempo, las enfermedades –también importadas– acabaron con los indios. Les sobrevivió un diccionario y tratado de grámatica de la lengua yámana compilado por Bridges y editado en Austria. Bridges, que no era hombre de ciudad, se retiró a Harberton, la estancia que el gobierno argentino le concedió por su tarea espiritual y se convirtió en ganadero de ovejas importadas. La vida en aquel paraje quedó bellamente escrita por su hijo, Lucas Bridges, en el libro *El último confín de la tierra*. Este rótulo traduce por igual los desvelos de navegantes solitarios y operadores turísticos. Para la justicia argentina, Ushuaia también era el fin del mundo. Allí se confinaba a los delincuentes más peligrosos. Durante medio siglo la aldea vivió de la famosa cárcel y se identificó con su historia. Fue construida a partir de 1902 por los mismos presidiarios, mediante el sistema de trabajo retribuido. Llegó a tener 600 reclusos y consolidó el poblamiento estable de la ciudad. Gracias a la cárcel, Ushuaia tuvo médico, bomberos, energía eléctrica, imprenta y pan fresco.

El origen cuartelero de Ushuaia es evidente en cualquier mapa callejero: cinco hileras de manzanas paralelas a la costa, trazadas sin ninguna plaza. La aldea creció entre el cementerio y el presidio. En esta retícula deben buscarse las últimas casas de antiguos pobladores. Se las reconoce por su sencillez. Están hechas con madera de lenga y techadas con chapa acanalada de hierro. Como aislante, no tenían más que tela de arpillera y varias capas de papel de diario. Atrás quedaron los días en que cada familia debía procurarse la leña en el bosque. El antiguo trencito que los presos utilizaban para acarrear leña dio paso a un precioso tren de paseo que conduce a los turistas hasta el Parque Nacional Tierra del Fuego, donde una placa de madera anuncia el fin de los caminos del mundo. Para retornar a Buenos Aires hay que desandar 3.200 kilómetros.

Las agencias de viaje que organizan cruceros a la Antártida o la Vuelta al Mundo utilizan cada vez con mayor frecuencia a Ushuaia como última escala americana. La historia náutica de Ushuaia se remonta hasta la época de su fundación. Un barco misionero –la goleta *Allen Gardiner*– navegaba con bandera británica entre Malvinas y Punta Arenas importando provisiones. Los viejos barcos conservan un tesoro de historias recogidas en incontables derroteros. La memoria colectiva recuerda al *Fortunato Viejo* –fletero de las estancias del Beagle– y al remolcador *Saint-Christopher*, íntimamente ligado al rescate del famoso transatlántico alemán *Monte Cervantes*, que naufragó en el canal Beagle, en enero de 1930. El casco de madera del *Saint-Christopher* terminó su vida útil varado frente a la ciudad.

El turista moderno todavía considera una aventura llegar hasta Ushuaia, aunque lo haga en un avión Jumbo, aterrice en el nuevo aeropuerto y se aloje en algún hotel lujoso de la ciudad. Mientras que los paquetes turísticos no dejan nada librado al azar, el viajero nunca está lejos de descubrir casitas de pioneros, modestos rastros de los campamentos yámanas, solitarios caminos de estancias, una fauna en libertad, montañas y bosques incontaminados que querrá transitar motivado por un celo primordial, sólo para ver qué hay más allá.

La **Isla de los Estados** es la última roca andina. Fue avistada por la expedición de Schouten y Le Maire, en enero de 1616. No era una expedición científica sino comercial; por lo tanto, se conformó con dibujarla en el mapa como apéndice de la *Terra Australis Incognita*. Debieron pasar más de 20 años para que fuese declarada oficialmente una isla. La bautizaron Tierra de los Estados –*Staten Land*– en alusión a los siete estados calvinistas que firmaron la Unión de Utrecht, en 1579: Holanda, Frisia, Utrecht, Groninga, Drente, Geldria y Zelanda. El topónimo es patriótico, ya que en 1609 España había reconocido la independencia de facto de estas Provincias Unidas de los Países Bajos, que entonces se proponían tomar posesión de una nueva ruta interoceánica a las Molucas.

El clima de la isla es desapacible; el mar, borrascoso. Caletas y fiordos penetran tan profundamente en sus montañas que el mapa simula un rosario de penínsulas. Entre las montañas hay turberas y más de cien pequeñas lagunas de agua dulce. Raidistas y neoexploradores consideran a la isla como verdadero *finisterre* donde poner a prueba la pericia náutica y confirmar descubrimientos de cosecha propia. El peñón nunca tuvo población estable. El famoso presidio –visitado por Roberto J. Payró en 1898 y descrito en su libro *La Australia Argentina*– debió ser desalojado por razones humanitarias, en 1902. Aquel escenario atrajo la atención del aventurero Luis Piedra Buena (1833-1883), quien instaló un refugio para náufragos –probablemente en Puerto Cook– y una rústica factoría –en Bahía Crossley– para elaborar subproductos derivados de la caza de pingüinos y lobos marinos. En 1873, con los restos de su propio naufragio, Piedra Buena construyó una pequeña embarcación y regresó desde la isla al continente. En 1884, la expedición de la Armada Argentina que marchaba a colonizar Ushuaia construyó el faro San Juan de Salvamento, inmortalizado por Julio

Verne en su novela *El Faro del fin del mundo*. Este primer faro patagónico funcionó hasta 1902. Fue reemplazado por el faro Año Nuevo, solitario y herrumbrado vigía que trepida cada vez que el viento barre la isla Observatorio. En el fiordo de Parry se encuentra el destacamento de la Armada Argentina, habitado por un puñado de hombres que se turnan para mantenerlo en funcionamiento.

Las **islas Malvinas** no ofrecían nada de seductor a la mirada de los primeros navegantes. Superado el primer desencanto, el capitán Louis Antoine de Bougainville –célebre viajero del Siglo de las Luces, antecesor de Cook en la búsqueda del gran continente austral– elogia sus bahías inmensas al abrigo de los vientos, su fauna, sus praderas cubiertas de ricos pastos y hasta su clima frío y húmedo.

Malvinas es una familia de dos islas mayores y una constelación de doscientos islotes, totalizando 11.410 km². La Gran Malvina es, a pesar del nombre, la menor de las dos hermanas (4.370 km²), y tan solitaria como la isla Soledad (6.350 km²). No se conoce población indígena que haya habitado el archipiélago, hoy poblado por unos 2.200 habitantes; 1.750 viven en la ciudad insular; unas 450 personas habitan en caseríos y estancias ovejeras del interior. Los ingleses los llaman *kelpers,* en alusión a un alga que abunda en el mar.

La ciudad principal de Malvinas fue fundada en 1843. Su mayor atractivo son los coloridos techos de chapa acanalada y el esmerado tratamiento de espacios públicos, calles y cercos. El edificio principal es la residencia del gobernador. La discreta actividad urbana se desarrolla en la calle marítima, donde se encuentran los principales edificios y tiendas. Los mapas argentinos rechazan su nombre porque alude a un ministro inglés de las colonias: lord Edward Smith Stanley. En ocasión del desembarco militar de 1982, el gobierno nacional (de facto) le impuso el nombre de **Puerto Argentino**. A salvo de la polémica, los aviones chilenos operan en Mount Pleasant (Monte Agradable), la base militar británica. Dos vuelos semanales de la Royal Air Force abastecen a la tropa allí acantonada, verdadera ciudad donde comen y duermen tantos soldados como habitantes tiene el archipiélago. Pequeños bimotores aterrizan en el campo y en las playas. Los turistas los aprovechan para sacar fotos y los malvinenses para abastecer a las estancias desde la ciudad.

Los visitantes arriban en primavera, cuando la tierra se cubre de flores silvestres; y emigran como los pingüinos, al final del verano. Malvinas es un paraíso de las aves marinas. Las reservas son absolutamente naturales, sin artificios turísticos. Nidifican varias especies de pingüinos, entre ellas, el pingüino real, la más gallarda de estas aves (el diario principal de la isla se titula *Penguin News*). Hay que contratar todo de antemano: alojamiento, excursiones, pasaje de regreso. Si el turista no ha de elegir el crucero antártico, depende de un único vuelo semanal que salva los 480 km que separan las islas de la costa patagónica. **Port Louis** fue la capital de la frustrada Francia Antártica de Bougainville. Fue residencia de los efímeros gobernadores militares españoles, quienes lo rebautizaron Puerto Soledad. Allí se conserva la preciosa casona de Luis Vernet, hábil comerciante hamburgués que frecuentaba las islas por negocios. En 1829, Vernet obtuvo de Buenos Aires la comandancia política y militar del archipiélago. Refundó Puerto Soledad con el nombre de Puerto Luis, poblándolo con cien habitantes estables. En Goose Green (en los mapas argentinos: Pradera del Ganso) se libró la última batalla de la guerra entre soldados argentinos y británicos, en 1982. Aún quedan restos de trincheras argentinas. El cementerio militar británico está en San Carlos; el cementerio argentino, en Darwin. Las zonas minadas se consignan en un mapa para que las eviten los isleños y las visiten los turistas.

Es posible que las islas hayan sido descubiertas por alguna nave desertora que regresaba a España desde el Estrecho de Magallanes. Los holandeses las llamaron Sebaldinas (o Sébaldes), por el navegante Sebald de Weert, que las divisó en 1600. Más tarde, Francia e Inglaterra se disputaron las Malvinas. En 1690, el capitán británico John Strong las bautizó Tierra de Hawkins; y al estrecho que separa las dos islas lo llamó **Falkland**, en homenaje a su *sponsor* y tesorero del Almirantazgo, el Vizconde de Falkland. El nombre del estrecho acabó aplicándose al archipiélago. Antes de su memorable vuelta al mundo, Bougainville preparó el desembarco de colonos de la *Compagnie de Saint-Malo*, que llegaron a las islas en 1763. Estos inmigrantes *malouines* dieron el nombre argentino al archipiélago. Terminado el mandato del último gobernador español, en 1811, las Malvinas permanecieron despobladas hasta 1820, cuando un corsario norteamericano izó la bandera argentina y tomó el poder en nombre de las "Provincias Unidas de Sudamérica". Loberos y balleneros norteamericanos e ingleses merodeaban las islas; y desde 1829 evitaban ser alcanzados por la autoridad de Vernet. En 1831, tres goletas estadounidenses fueron apresadas por orden del propio Vernet, quien decidió llevar el caso personalmente a Buenos Aires. Ese mismo año, y en represalia, la fragata estadounidense *Lexington* bombardeó Puerto Luis. Lejos de Malvinas, el poder efectivo de Vernet fue diluyéndose, dejando las islas libradas a su propia suerte. La desatención argentina no invalida sus derechos jurídicos y tiene su explicación: el país real terminaba en Carmen de Patagones y las guerras internas impedían ocupar los enormes espacios australes heredados del Virreinato del Río de La Plata.

La ocupación inglesa se produjo en 1833. A partir de entonces, Malvinas fue el centro logístico de las misiones anglicanas de Tierra del Fuego. De allí partió el primer poblador blanco, las primeras ovejas, el primer armonio y las partituras de los primeros cánticos religiosos, la primera casa prefabricada y los primeros suéters y pantalones que debían cambiar el modo de vestir de los nativos. Después de la guerra de 1982, creció la atención colonial y la economía se volcó hacia los beneficios de las concesiones y permisos de pesca en la zona de exclusión marítima, creada por el Reino Unido en 1986. Las huertas hidropónicas producen alimentos frescos. Cada habitante dispone, en promedio, de casi cuatrocientas ovejas. Tal como predijo Bougainville, las turberas proporcionan combustible a muchos isleños. Desoyendo los reclamos argentinos, el Reino Unido mantiene las islas ocupadas militarmente y siempre se ha negado a cumplir las resoluciones de las Naciones Unidas. Para este organismo, Malvinas es un territorio a descolonizar.

La **Antártida** es más fría que el Polo Norte y, a diferencia de aquél, no forma un océano glaciar sino un continente cubierto por un enorme manto de hielo. Sus 14 millones de kilómetros cuadrados representan el 10% de las tierras emergidas. De este casquete se desprenden glaciares, témpanos y enormes barreras de hielo flotante. Los témpanos son bloques de hielo que marchan a la deriva en los mares antárticos. Temidos por los marinos, buscados por los turistas, recuerdan a las rocas errantes de los fantásticos periplos de la Antigüedad. Se ha dado el caso de bases antárticas que zarparon sobre témpanos gigantescos desprendidos del continente. Estos hielos, antiguos y por lo tanto muy compactos, pueden alcanzar la superficie de un cantón suizo.

La idea de una *Terra Australis Incognita* dominó la cartografía europea hasta el siglo XVIII. A partir del siglo XVI, los viajeros ampliaron considerablemente el mundo conocido, pero la exploración de la Antártida y sus mares circundantes fue sumamente lenta. En su segundo viaje alrededor del mundo (1772-1775), Cook realizó la primera circunnavegación antártica. El 17 de enero de 1713, cruzó por primera vez el Círculo Polar Antártico, al sur del cual el invierno carece de luz solar. Los témpanos le hicieron creer que allí se acababa el mundo y dio por concluida la exploración. A los viajeros científicos siguieron las expediciones comerciales que buscaban, cada vez más al sur, pieles de focas y de lobos marinos. Recién en diciembre de 1911, el noruego Roald Amundsen y sus ágiles trineos de perros alcanzaron el Polo Sur.

Las primeras expediciones antárticas llamaron a trazar fronteras en el mapa. El Tratado Antártico de 1959 "congeló" indefinidamente todos los reclamos. Desde entonces, el *uti possidetis* del Derecho Romano ("lo que posees es tuyo") viene aplicándose en la especulación cartográfica y en los proyectos científicos. La Argentina y Chile tienen una larga presencia en la Antártida, tanto científica como humanitaria. Se incluyen entre los doce primeros países en firmar el Tratado Antártico (1959), actuando activamente en el manejo responsable del continente.

La Antártida turística se reduce a la costa noroccidental de la **Península Antártica**, llamada Tierra de San Martín en los mapas argentinos y Tierra de O'Higgins en las cartas chilenas. Su mayor proximidad al continente sudamericano y la ausencia de hielos errantes favorece la navegación estival. El clima polar –seco y ventoso– es allí más benigno por la influencia de las corrientes marinas. En verano, la temperatura media es de 0.7°C y la máxima puede alcanzar 15°C. Grandes colonias de pingüinos y mamíferos marinos se encuentran muy activas en verano y pueden ser admiradas en un marco de grandiosa belleza. Todo el litoral presenta una costa recortada, con picos que emergen del manto de hielo y glaciares que llegan hasta el mar. El viaje es también un festival de fenómenos ópticos naturales tales como espejismos, auroras y resplandores.

La Península Antártica posee la mayor densidad de bases científicas internacionales, que son las ciudades de la Antártida. La Argentina mantiene doce bases antárticas, seis de ellas con actividad y personal permanentes: Orcadas (en la isla Laurie; la más antigua, abierta en 1904 de manera permanente), Jubany, Esperanza, Marambio, San Martín y Belgrano II (la más cercana al Polo Sur). Chile también cuenta con bases y refugios antárticos en actividad. La Base Presidente Frei, a cuatro horas de vuelo de Punta Arenas, posee un albergue para visitantes. Del lado oriental, la Península Antártica es poco navegable debido a las grandes barreras de hielo. En las últimas décadas, el interés turístico por la Antártida ha experimentado un notable crecimiento. Los cruceros se iniciaron hacia 1960. En la temporada 1984-1985, 544 turistas de todo el mundo visitaron la Antártida. En la temporada 1997-1998 se registraron unos 9.800 pasajeros.

TIERRA DEL FUEGO

Research and texts: Gonzalo Monterroso
Geographical consultant: Nicolás Kugler

The name Tierra del Fuego has a connotation of remoteness, for it is there that the Patagonian world ends and the long Antarctic route starts. Long before the South became a part of canonical geography, the scholars of the Renaissance filled the voids on the map with their imaginations, peopling it with giants, sirens and terrifying griffins. When the Portuguese globalized the world in the sixteenth century, all geographical barriers fell and a real but imperfect Tierra del Fuego was born, attached to a still imaginary continent: the *Terra Australis Incognita*. Driven by Aristotelian logic, Martin Behaim, cosmographer of the Portuguese school, drew a slash on the map and created the strait at the end of the world: "*Continents are inordinate islands; we must find the straits that separate them and confirm the waters that surround them.*" The merit of believing that axiom belongs to Magellan, a true promoter of geographic firsts. His prowess was celebrated by giving his name to the famous inter-oceanic pass. The great navigator allegedly christened Tierra del Fuego; however, the relation of Antonio Pigafetta –diligent chronicler of that expedition– implies that Magellan only saw smoke, not fire. Certainly, the islanders lighted fires to warm themselves or to announce the news. What most amazed Charles Darwin was the fact that these fires were lit on the bottom of their canoes. With time, the arrival of unknown vessels must have multiplied this signal in the presence of the travelers, who assumed that eternal fire burned there. Thus, the island of the wind received its christening by fire.

The Fuegian Indians were the first to cross the Strait of Magellan, some ten thousand years ago. By the time the Europeans arrived, there were around eleven thousand aborigines living in Tierra del Fuego. They formed four groups, each with its own territory, language and culture: the Selknam, or Onas, and the Haush hunted on foot; the Yamana, or Yaghan, and the Alacaloof hunted in canoes made of tree bark. Both pedestrians and canoers were indefatigable nomads who traveled light. They would enrich their languages mutually or quarrel over the women or the guanaco hunting grounds. In 1768, the famous Captain James Cook visited the island and met men of awkward appearance and smart-looking women. They seemed not to want things other than those they already had; this led Cook to wonder whether well-being is related to the acquisition of goods.

The discovery of the Strait of Magellan did not guarantee that Tierra del Fuego was an island. One of the first to forecast Fuegian insularity was Father Joseph de Acosta (1540-1600), a Jesuit chronicler obsessed by the Aristotelian straits: "*The firm land ends there, and the rest is all islands, and where these end, one sea joins the other.*" Cape Horn had just been born, at least in geographic faith, since the four circumnavigations of the globe that followed Magellan's (Drake's, Cavendish's, De Noort's and Spilberg's) had to use the Strait. It was not until 1616 that the Dutch discovered and christened the most dangerous cape in the world, giving it the name of the port where they equipped their ships: Hoorn, the Horn on the English charts, which our maps wrongly translated into *Hornos*. Although two brothers, Bartolomé and Gonzalo Nodal, sailed round the archipelago in 1619, it never lost its category of "land".

The Isla Grande of Tierra del Fuego and its labyrinthine family of islands and islets have an area slightly larger than 27,027 square miles, similar to that of Ireland.

Chile owns the greater part of the island –about 19,305 sq. miles divided among vast estancias– and controls the Strait of Magellan. The Argentine side formed a perfect right angle triangle, with two maritime capitals and a terrestrial leg that can only be of interest to collectors of notable borders: there are only half a dozen oceanic islands in the world divided by an international border. It was drawn and then moved without any regard to the line of high peaks or the water-shed, guiding principles of the Patagonian border dispute. This true Line of Tordesillas utterly ignores the Cordillera of the Andes, crossing it to comply with the diplomatic password: Chile on the Pacific, Argentina on the Atlantic. This makes Ushuaia the only Argentine city west of the Andes. Twice a week an inter-oceanic bus crosses the border carrying passengers from Río Grande to Porvenir, from which a steamer leaves towards **Punta Arenas**, the Magellanic capital. Cars reach the Argentine sector from the north. Airplanes land in the south. Clouds, wind and weather changes come from the west. The east challenges vessels to circumnavigate the planet freely and return to the island without ever touching land. This is perhaps why, in Argentine provincial heraldry, the Fuegian coat of arms is the only one that considers the sea as a prevailing theme.

Route 3 allows travelers to encounter all the Fuegian landscapes. North of Lake Fagnano, the cordilleran forest gradually gives way to the rolling steppe that forecasts Patagonian desolation. After **Río Grande**, a fan of pebbly roads leads to the estancias, dots on the map, which in the austral wilderness acquire the hierarchy of small towns. **San Sebastián Bay** is a summer refuge of migratory birds. North of it, at a spot with a suggestive name –The Moor–, Julius Popper, a Rumanian Jew (1857-1893) became the most notorious Patagonian gold-digger. With impunity, ingenuity and the help of his *porteño* influential relations, this unscrupulous engineer created his estate there, with technology, currency and an army of his own. Between 1880 and 1909, Tierra del Fuego became the land of gold, sparking dissension among greedy gold diggers, natives in regression and enterprising estancia owners who were importing the first sheep from Punta Arenas and the Falklands. Starting in 1890 the great cattle estancias were formed: Primera Argentina –today José Menéndez– and Segunda Argentina, at present **María Behety**, which has the largest sheep-shearing shed in the world, capable of accommodating over 5,000 sheep. In summer, visitors are attracted by the shearing process and the herding of great numbers of sheep with the help of dogs. From November till March, fish-week is a must among American fishermen, who come to the estancias looking for trout. The introduction of exotic Salmonidae in order to develop sports fishing has driven away the native species of the rivers and lakes. South of Río Grande there is a detour that inconveniences travelers in haste. It leads to **Cape San Pablo**, the site of an old lighthouse, the southernmost inn on the Mar Argentino, and the rusted hull of the *Desdemona*, wrecked on the desolate beach. **Tolhuin**, a small community halfway between Río Grande and Ushuaia, offers farms and woods. The end of **Lake Fagnano**, the old Khami of the natives, can be reached there. The lake was re-christened in memory of Juan Fagnano, a Salesian priest, founder of the **La Candelaria Mission** (1893), considered the foundational base of Río Grande.

The island's mountain skeleton presents a series of folds, fractures, lava spills, marine floods, ice and the persistent erosion of time. Part of this geological history can be noticed in the different formations along the road from Ushuaia to Río Grande. In recent geological times, a frozen cap covered the southern region. Once the ice receded, sweet water filled the bowls, forming lakes such as large Lake Fagnano. Other glacial valleys are filled by the typical peat bogs, swamps formed when low temperatures and the acidity of the water prevent vegetal remains from decomposing completely. Accumulated during thousands of years, these detritus form a deep layer of peat on which reeds, lichens and moss grow, taking on a strange red and orange tint in the fall. The **Beagle Channel** was once a gigantic glacier that the sea waters transformed into a true inter-oceanic strait. It is 187.5 miles long, four times as long as the Panama Canal and one and a half times as long as the Suez Canal. Protected from the stormy sub Antarctic seas, the excursions that leave the port of Ushuaia show the traveler islets and half sunken rocks where the marine fauna takes refuge. Dolphins and sea lions can easily be spotted there. Between Punta Arenas and Ushuaia, luxury liners go into the desolate Fuegian channels, a maze of coves, fiords and peninsulas carved between steep cordilleras covered with forests and glaciers that descend to the coast.

The islanders enjoy the long summer days. There is no snow from October to May, the warmest months. Extended sunsets shorten the hours of darkness to a brief lapse between eleven p.m. and two a.m. On the other hand, long shadows and short days rule in winter, though the daylight hours are halcyon and sunny. As in a pagan ritual, the people celebrate the June solstice with a torch-lit walk, the National Feast of the Longest Night in the World, which announces the opening of the much awaited winter tourist season. The weather in Ushuaia is so changeable that it is not unusual to experience the four seasons on the same day. Only the locals can give a long range forecast. Rainbows are more frequent there than anywhere else in the country; they deserve their own national festivity. As a thick coat of snow covers the valleys and plains, locals and visitors practice cross-country skiing, an old Nordic activity that consists in long journeys on skis through the wilderness. In old times, before Route 3, a kind of cross-country postal system was used to carry correspondence between Ushuaia and Río Grande.

Almost one third of the Argentine portion of Tierra del Fuego is covered by woodlands, mostly formed by trees of the genus *nothofagus*. The so-called tall tree forest is formed by *lengas*. Their leaves, as those of the *ñire* (underbrush) turn red and yellow at the beginning of the cold season, while the sour cherry is evergreen. All three species of *nothofagus* are infected with fungi and parasites, among which the largest is the *llao-llao*, which causes the formation of strange knots on the bark. The ground is covered by a blanket of minute flowers of various colors. Lichens hang from the trees like "forest beards", adding a touch of beauty while making walking difficult. There is a notable abundance of bushes and wild fruits, such as the *michay* –whose orange flowers bloom at the end of winter–, the *notro* –with striking red flowers– and the *calafate*, whose bluish berries are delectable. Ferns and flowers grow in the shaded, moist corners. The woodland scenery constitutes one of the most genuine charms of the island; it can be enjoyed at the little explored **Tierra del Fuego National Park**, a true sampler of the Fuegian natural environment. Improper use, fires and the proliferation of exotic animals –such as the beaver, an indefatigable tree feller and builder of dams that flood the forest– have reduced or damaged this southern forest, formed by long-lived, slow-growing specimens.

Tierra del Fuego offers a diversity of marine birds and other species. Albatross and petrels circle above the tour boats. An albatross with spread wings frames the coat of arms of Tierra del Fuego; it does not constitute a regional dish, although Cook and Banks may have plucked and tasted several of them, which they found very palatable. As far as edible fauna, the natives used to gather shellfish on the beach or eat whale meat, habits that made them look even more savage to European eyes. Tourists are invited to eat lamb on a spit and spider crab, a huge crab whose price will raise the bill at any restaurant boasting local specialties.

In 1828, young captain Robert Fitz Roy visited Tierra del Fuego on the *Beagle*, the famous brig of the British Admiralty. He returned to London with four Fuegian students on scholarships who –in his estimation– deserved a British education. Darwin, who considered these aborigines "the lowest race of the human species", accompanied them on their way back to their homeland in 1831. The idea of preaching the Gospel to the Fuegians was born from that exchange. In 1869 the first missionary came to **Ushuaia** Bay. The young Anglican pastor Thomas Bridges gave impulse to his modest mission, a house of wood and corrugated iron. In 1884 four ships of the Argentine Navy arrived in the bay, planted the national flag and inaugurated colonization. Argentines imported the Spanish language (Bridges spoke yamana and his natives were learning English) and pre-fabricated houses. They also imported diseases which, in a short time, decimated the natives. These were survived by a dictionary and treatise on the yamana language, compiled by Bridges and published in Austria. Bridges, who was not a city dweller, retired to Harberton, the estancia that the Argentine government had given him in retribution for his spiritual work, and devoted his time to raising imported sheep. Life in that place was beautifully described by his son, Lucas Bridges, in his book *Uttermost Part of the Earth*. This title makes reference to the concerns of both solitary seamen and tour operators. Argentine justice also saw Ushuaia as the end of the world: the most dangerous criminals were confined there. During half a century the village lived on the famous prison of Ushuaia and was linked to its history. It was built starting in 1902 by the inmates themselves, on a remunerated work system. At one time it had 600 inmates, and it consolidated the stable population of the town: thanks to the prison, Ushuaia had a doctor, firemen, electricity, a printing press and fresh bread.

The prison-related origin of Ushuaia is evident on any street map: five rows of blocks parallel to the coast and no square. The village grew between the cemetery and the prison. Within this network the houses of the old inhabitants can be recognized by their simplicity. They are made of *lenga* wood and their roofs are of corrugated iron. Their only insulation was burlap and several layers of newspaper. The days in which each family had to procure their own firewood are over. The old train that the inmates used to carry firewood has been replaced by a beautiful tour train that takes visitors to Tierra del Fuego National Park, where a wooden plaque announces the end of the roads of the world. You must travel 2,000 miles in order to return to Buenos Aires.

Travel agencies organizing Antarctic or round-the-world tours have been using Ushuaia as the last stop on the American continent with increasing frequency. However, Ushuaia's nautical history goes back to its foundation. A missionary schooner, the *Allen Gardiner*, used to sail under British flag between the Falklands and Punta Arenas importing provisions. The old ships keep a treasure of stories gathered in innumerable journeys. Collective memory remembers *Fortunato Viejo* –a freighter for the estancias on the Beagle– and the tow-boat *Saint-Christopher*, closely linked to the rescue of the famous German transatlantic liner *Monte Cervantes*, which sank in the Beagle Channel in January 1930. The wooden hull of the *Saint-Christopher* finished its useful life aground in front of the city.

Modern tourists still consider it an adventure to make it to Ushuaia, even if they get there by plane, land on the new airport and stay at some luxury hotel in the city. While the tour packages never leave anything to chance, travelers can always discover small pioneer dwellings, modest traces of yamana campsites, solitary estancia roads, roaming fauna, mountains and unpolluted forests that they may want to visit, driven by a primordial curiosity, just to see what lies beyond.

Isla de los Estados (the Isle of States) is the last Andean rock. It was first seen by the expedition of Schouten and Le Maire, in January 1616. This was not a scientific but a commercial expedition, so they were content with merely drawing it on the map as an appendage of the *Terra Australis Incognita*. Over twenty years went by before it was officially declared an island. It was christened Tierra de los Estados –*Staten Landt*– in allusion to the seven Calvinist states that signed the Union of Utrecht, in 1579: Holland, Friesland, Utrecht, Groningen, Drente, Gelderland and Zeeland. The name is patriotic, since, in 1609, Spain had already recognized the *de facto* independence of these United Provinces of the Netherlands, which now proposed to take possession of a new inter-oceanic route to the Moluccas.

The island climate is unpleasant; the sea, rough. Coves and fiords penetrate its mountains so deeply that the map of the island simulates a rosary of peninsulas. Between mountains there are peat bogs and over one hundred small sweet water lakes. Travelers and neo-explorers consider the island a true *finisterre* where they can test their nautical expertise and confirm their own discoveries. The rock never had a stable population. The famous prison, visited by Roberto J. Payró in 1898 and described in his book *La Australia Argentina* (*The Argentine Australia*), had to be evacuated for humanitarian reasons in 1902. The scenery attracted the attention of adventurer Luis Piedra Buena (1833-1883), who set up a shelter for victims of shipwrecks –probably at Port Cook– and a rustic factory –at Crossley Bay– to manufacture byproducts of the penguin and sea lion hunt. In 1873, Piedra Buena built a small craft with the remains of his own shipwreck and returned to the continent. In 1884, the expedition of the Argentine Navy on its way to colonize Ushuaia built the San Juan de Salvamento lighthouse, immortalized by Jules Verne in his novel *Le Phare du Bout du Monde* (*Lighthouse at the End of the World*). This first Patagonian lighthouse worked until 1902. It was replaced by the New Year lighthouse, a solitary, rusted watchtower that trembles every time the wind sweeps Observatory Island. At the Parry Fiord there is a detachment of the Argentine Navy, inhabited by a handful of men who take turns to keep it running.

The **Falkland Islands** (or Malvinas) had nothing seductive to offer the first navigators.

However, once the first negative impression had been overcome, Captain Louis Antoine de Bougainville –famous traveler of the Age of Reason, Cook's predecessor in the search for the great southern continent– praised its spacious bays, sheltered from the winds, its fauna, its plains covered with rich grasses and even its cold, damp climate.

The Falklands are composed of two main islands and a constellation of two hundred islets, totaling 7,131 square miles. Gran Malvina (West Falkland) is the smaller of the two sisters, (1,687 sq. m.), and as solitary as Soledad (East Falkland) (2,452 sq. m.). There is no known indigenous population to have inhabited the archipelago, which at present has about 2,200 inhabitants; 1,750 live in the city of the islands; about 450 people live in villages and sheep estancias in the interior. The British call them *kelpers*, alluding to an alga which is abundant in the sea around them.

The main city of the Falklands was founded in 1843. Its greatest attractions are the colorful corrugated iron roofs and the care taken to maintain public areas, streets and fences. The main building is the governor's residence. Ordinary urban activity takes place mainly on the maritime road, where the main buildings and stores can be found. Argentine maps reject its name, Port Stanley, for it commemorates an English minister of the colonies, lord Edward Smith Stanley. On occasion of the Argentine military landing in 1982, the Argentine *de facto* government gave it the name **Puerto Argentino**. Keeping away from the disagreement, Chilean planes operate at Mount Pleasant, the British military base, a veritable city which houses and feeds a number of soldiers comparable to that of the inhabitants of the archipelago. Two weekly flights of the Royal Air Force supply the troops stationed there. Small two-engine planes land on the fields and on the beach. Tourists take advantage of them to take photographs, and the locals to provision the estancias from the city.

Visitors arrive in spring, when the land is covered with wildflowers; they emigrate, like the penguins, at the end of summer. The Falklands are a paradise for marine birds. The reserves are absolutely natural, without tourist artifices. Several species of penguins nest there, among them the king penguin, the most graceful of these birds (the main newspaper on the island is called *Penguin News*). Everything has to be contracted ahead: lodging, excursions, return tickets. If tourists are not on the Antarctic cruise, they will be dependent on an only weekly flight that covers the

300 miles that separate the islands from the Patagonian coast. **Port Louis** was the capital of Bougainville's frustrated French Antarctica. It was the residence of the short-lived Spanish military governors, who re-christened it Puerto Soledad. A beautiful mansion is preserved there, which used to belong to Luis Vernet, a clever merchant from Hamburg who visited the islands on business. In 1829, Vernet obtained from Buenos Aires the political and military command of the archipelago. He refounded Puerto Soledad with the name of Port Louis, populating it with one hundred stable inhabitants. At Goose Green (Pradera del Ganso on Argentine maps) the last battle of the war between British and Argentine soldiers was fought in 1982. The remains of Argentine trenches can still be seen there. The British military cemetery is at San Carlos; the Argentine cemetery, at Darwin. Mined areas are marked on the maps to be avoided by islanders and visited by tourists.

The islands may have been discovered by a deserting ship returning to Spain through the Strait of Magellan. The Dutch called them Sébaldes after navigator Sebald de Weert, who sighted them in 1600. Later, France and England quarreled over the Falklands. In 1690, British captain John Strong christened them Land of Hawkins, giving the name **Falkland** to the strait that separates both islands, in honor of his *sponsor* and treasurer of the Admiralty, the Viscount of Falkland. The name of the strait was later applied to the archipelago. Before his memorable circumnavigation of the globe, Bougainville prepared the landing of settlers of the *Compagnie de Saint-Malo*, who arrived in the islands in 1763. These *malouines* immigrants gave the archipelago its Argentine name. After the end of the last Spanish governor's mandate in 1811, the Falklands remained deserted until 1820, when an American privateer raised the Argentine flag and took over the islands in the name of the United Provinces of South America. American and British whalers and sealers raided the islands; since 1829 they had been avoiding the authority of Vernet, first political and military commander of the Falklands. In 1831, three American schooners were captured following orders of Vernet himself, who decided to personally take the matter to Buenos Aires. That same year, in retaliation, the American frigate *Lexington* bombed Port Louis. Away from the Falklands, Vernet saw his effective power dwindle, and the islands were abandoned to their fate. Argentina's legal rights, however, are not invalidated by its inattention, which has an explanation: at the time, the real country ended at Carmen de Patagones and internal wars made it impossible to occupy the enormous southern spaces inherited from the Vice Royalty.

British occupation took place in 1833. From then on, the Falklands were the logistic center of the Anglican missions of Tierra del Fuego. The first white settler, the first sheep, the first harmonium and the sheet music for the first religious canticles, the first prefabricated home and the first sweaters and trousers that would change the natives' way of dressing came from the Falklands. After the war of 1982, colonial attention increased and the economy turned to the benefits to be found in the concessions and fishing permits within the "fisheries protection zone" created by the United Kingdom in 1986. Hydroponics vegetable gardens grow fresh produce. Each inhabitant owns an average of almost four hundred sheep. As Bougainville had predicted, the peat bogs provide fuel for many islanders. Paying no heed to Argentine claims, the United Kingdom maintains military occupation of the islands and has always refused to follow UN resolutions on the subject. To this world organization, the Falklands are a territory to be de-colonized.

Antarctica is colder than the North Pole and, unlike the latter, it is not a glacial ocean but a continent covered by an imposing ice sheet. Its almost five and a half million square miles represent 10% of the land area of the earth. Glaciers, icebergs and huge barriers of floating ice break away from the polar ice pack. Icebergs are blocks of ice that drift on the Antarctic seas. Feared by seamen, sought for by tourists, they bring to mind the errant rocks of the fantastic journeys of Antiquity. It has happened that Antarctic bases have found themselves aboard gigantic icebergs that had broken away from the continent. These blocks of ice, ancient and therefore very compact, sometimes reach the area of a Swiss canton.

The idea of a *Terra Australis Incognita* dominated European cartography until the eighteenth century. From the sixteenth century on, travelers widened the known world considerably, but exploration of Antarctica and its surrounding seas was very slow. During his second journey around the globe (1772-1775), Cook accomplished the first Antarctic circumnavigation. On January 17, 1713 he crossed the Antarctic Polar Circle for the first time, south of which winters have no sunlight. Antarctic icebergs made him believe that he had reached the end of the world and he considered his exploration complete. Scientific travelers were followed by sealing expeditions looking for furs farther and farther south. It was not until December 1911 that Norwegian Roald Amundsen and his agile dog-pulled sleds reached the South Pole. The first Antarctic expeditions called for the drawing of limits on the map. The 1959 Antarctic Treaty froze all claims indefinitely. Since then, the concept of *uti possidetis* (what you have is yours), derived from Roman Law, has been applied in speculative cartography and scientific projects. Argentina and Chile have an important presence on Antarctica, both scientific and humanitarian. They are included among the first twelve countries to sign the Antarctic Treaty (1959), and have been active participants in the responsible management of the continent.

Tourist Antarctica is reduced to the northwestern coast of the **Antarctic Peninsula**, called Tierra de San Martín on Argentine maps and Tierra de O'Higgins on Chilean charts. Its greater proximity to the South American continent and the absence of drifting masses of ice favor summer navigation. The polar climate –dry and windy– is more temperate there due to the influence of marine currents. In summer, the mean temperature is 33.26°F and it may rise to 59°F. Great colonies of penguins and marine mammals are very active in summer and can be admired against a background of incomparable beauty. The entire shoreline presents an indented coast, with peaks rising from the ice sheet and glaciers reaching the sea. The journey itself is a festival of natural optical phenomena such as mirages, auroras and shining lights.

The Antarctic Peninsula is the area most densely populated by international scientific bases, the cities of Antarctica. Argentina maintains twelve Antarctic bases, six of them with permanent personnel and activity: Orcadas (Orkney), on Laurie Island, the oldest, opened permanently in 1904, Jubany, Esperanza, Marambio, San Martín and Belgrano II (the closest to the South Pole). Chile also has active Antarctic bases and shelters. The Presidente Frei Base, four hours away from Punta Arenas by plane, has a shelter for visitors. On the eastern side, the waters around the Antarctic Peninsula are not easily navigable due to the great ice barriers. In the last few decades, tourist interest in Antarctica has increased greatly. Cruises started towards 1960. During the 1984-1985 season, 544 tourists from all over the world visited Antarctica. During the 1997-1998 season, there were some 9,800 passengers registered.

Este libro se terminó de imprimir
en Setiembre de 2000, en Gráfica Melhoramentos, en Brasil.
Printed in Brazil, in September 2000.

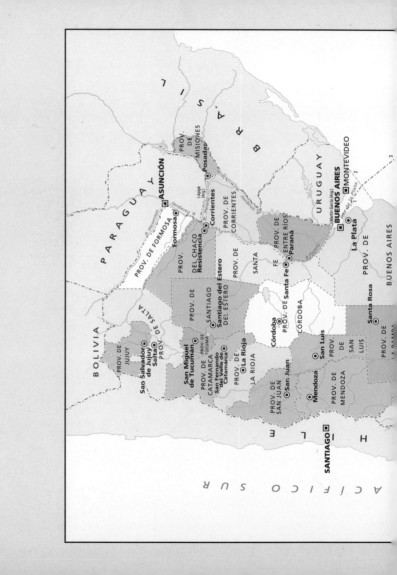